원효대사

불교계의 큰 별로 뜨다

원작 일연 글 구들 그림 이관수 감수 최광식

신라 진평왕 시절, 불지촌이란 작은 마을이 있었어요.
불지촌은 '부처의 지혜가 피어난 마을'이라는 뜻이지요.
이 마을에 설담날 부부가 살고 있었답니다.
설담날 부부는 누구보다 행복하게 살고 있었지만
안타깝게도 자식이 없었어요.
그러던 어느 날 밤, 설담날의 아내는 하늘에서 큰 별 하나가 쏜살같이
자신의 품으로 떨어지는 꿈을 꾸고 아이를 가졌어요.
설담날 부부는 아이를 낳기 위해 고향으로 가고 있었지요.

"아! 여보, 배가 아파 오는 걸 보니 아이가 나오려나 봐요!"
밤나무골에 이르렀을 때 설담날의 아내가 진통을 느끼기 시작했어요.
설담날은 부랴부랴 마른 풀을 긁어모아 아내가 누울 자리를 마련했지요.
"어서 이리로 누우시오."
설담날의 아내가 자리에 눕자마자 금세 갓난아이의
힘찬 울음소리가 밤나무골 가득히 울려 퍼졌어요.

"아니, 저것이 무엇일까?"

설담날은 아내가 누워 있는 쪽을 보고는 자기도 모르게 소리를 질렀어요.

지금 막 태어난 갓난아이 주위로 오색찬란한 구름이 떠 있었어요.

그 구름은 점점 퍼지더니 마침내 온 골짜기를 뒤덮었지요.

불지촌 사람들도 아름다운 구름을 보고 밤나무골로 뛰어왔어요.

마을 사람들은 설담날이 안고 있는 아이를 보며 말했지요.

"하늘의 빛을 받고 태어난 아이가 여기 있구려!"

"우리 불지촌에 큰 인물이 태어난 것 같네요."

마을 사람들은 아이를 둘러싸고 신기해 했어요.

집으로 돌아온 설담날은 아내에게 말했어요.

"이 아이는 하늘의 빛을 받아
얼굴에 성스러움이 가득하구려.
아이 이름을 서당이라고 짓고
크게 키우도록 합시다."

이 아이가 바로 신라의 불교를
크게 일으켜 세운 원효 스님이랍니다.

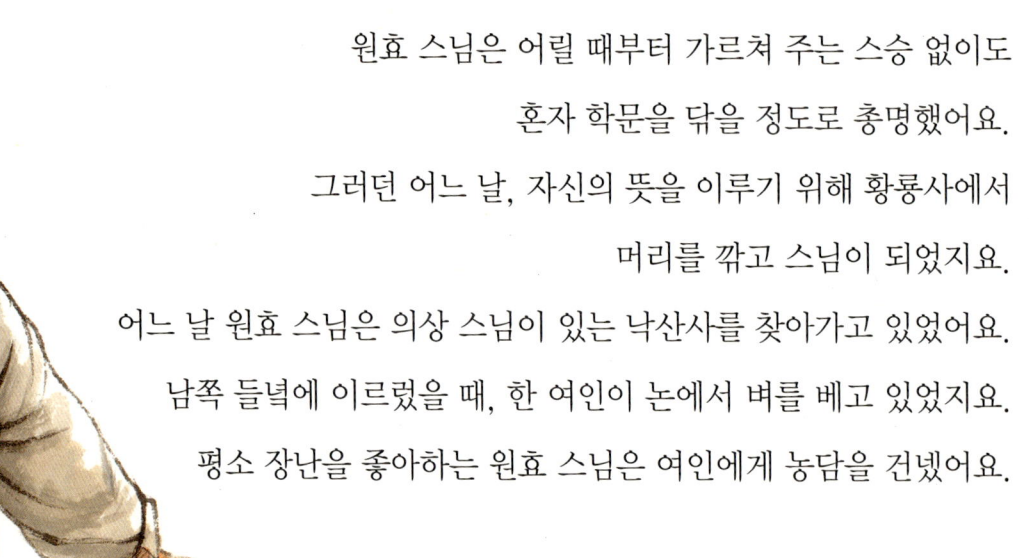

원효 스님은 어릴 때부터 가르쳐 주는 스승 없이도
혼자 학문을 닦을 정도로 총명했어요.
그러던 어느 날, 자신의 뜻을 이루기 위해 황룡사에서
머리를 깎고 스님이 되었지요.
어느 날 원효 스님은 의상 스님이 있는 낙산사를 찾아가고 있었어요.
남쪽 들녘에 이르렀을 때, 한 여인이 논에서 벼를 베고 있었지요.
평소 장난을 좋아하는 원효 스님은 여인에게 농담을 건넸어요.

"배고픈 중에게 그 벼라도 좀 주시려오?"

그러자 여인이 대답했어요.

"농사가 잘 되지 않아 드릴 것이 없소이다."

원효 스님은 무안해서 껄껄 웃으며 자리를 떴어요.

얼마를 걸어 시냇가에 이르자 한 여인이 빨래를 하고 있는 것이 보였어요.

원효 스님이 마실 물을 청하자 여인은 빨랫감을 담궈 놓은 물을 떠 주는 것이었어요.

원효 스님은 깜짝 놀라 그 물을 쏟아 버리고 손수 깨끗한 물을 찾아 마셨답니다.

그때였어요.
옆에 있던 소나무 위에서
스님을 부르는 소리가 들렸어요.
"스님, 스님."
원효 스님이 올려다보니,
파랑새 한 마리가 나무 위에서
스님을 부르는 것이었어요.
"아니, 네가 나를 불렀느냐?"
"스님밖에 누가 더 있답니까?"
"그래, 무슨 일이냐?"
"스님은 그만 포기하세요."
파랑새는 그 말을 하고는 푸드득
날아가 버렸어요.
원효 스님이 둘러보니 소나무 아래
붉은 신 한 짝만이 놓여 있었어요.
원효 스님은 고개를 갸웃하며
그 신발을 주워 들고 걸음을 재촉했어요.

저녁 무렵에 낙산사에 도착한
원효 스님은 부처님 앞에 절을 올리고
일어서다가 무심히 벽에 걸린 그림을
바라보았지요.
그림 속 소나무 가지에는 아까 본
파랑새와 똑같이 생긴 새가 앉아 있고,
나무 아래에는 관세음보살*이
서 있었어요. 그런데 그 관세음보살은
붉은 신을 한 짝만 신고 있는 게
아니겠어요?
가만히 다가가 관세음보살의 얼굴을
살피던 원효 스님은 더욱 놀랐어요.
관세음보살의 얼굴이 낮에
우연히 마주쳤던 벼 베던 여인,
빨래하던 여인과 똑같았던 거예요.

*관세음보살 : 불교에서 괴로울 때 사람들에게
위로와 평화를 가져다준다는 보살

'이럴 수가. 내가 얼마나 마음이 맑지 못했으면
관세음보살을 만나고도 알아보지 못했을까!'
원효 스님은 이렇게 한탄했어요.
그리고 관세음보살이 자신에게 무엇을 가르쳐 주고자
했는지 곰곰이 생각해 보았지요.
먼저 벼 베는 여인이 원효 스님에게
벼를 주지 않은 이유를 생각했어요.
'내가 중이라는 이유로 일하지 않고
남의 도움을 받는 것을 당연히 여겨서
꾸짖은 게로구나.'
다음에는 빨래 담근 물을 떠 주던
여인의 행동에 대해 생각하다가 손뼉을 쳤어요.
'그래! 부처님께서는 더러운 것이든 깨끗한 것이든
마음에 두지 말라고 하셨는데 나는 물이 더럽다는
이유로 그 여인의 정성을 무시했어. 내가 잘못했구나.'
이 일을 계기로 원효 스님은 더욱 불교 공부에 힘썼어요.
그리고 새로운 결심을 했어요.
"이 좁은 신라 땅에서 배우는 것에는 한계가 있다.
넓은 당나라로 가서 불교에 대해 깊이 공부해 보자."

원효 스님은 결심한 것을 의상 스님에게 말했어요.
"참으로 좋은 생각일세. 지금 당장 떠나세."
그리하여 원효 스님과 의상 스님은 당나라 유학길에 올랐어요.
어느 날, 온종일 걷던 두 스님이 산에서 길을 잃고 말았어요.
마침 해도 뉘엿뉘엿 지고 있었지요.
"아무래도 오늘은 여기서 묵고 가야겠네."
의상 스님의 말에 원효 스님도 찬성했어요.

"오, 저기 동굴이 있군. 밖에서 자는 것보다 저기가 낫겠어."

하루 종일 걸어서 피곤했던 두 스님은 동굴 바닥에 눕자마자 깊은 잠에 빠졌어요.

얼마가 지나고 원효 스님은 심한 갈증을 느끼며 잠에서 깨어났어요.

'아, 목이 마르군. 물, 물이 어딨지?'

스님은 잠이 덜 깬 상태로 머리맡을 더듬거렸지요.

'마침, 여기 물그릇이 있군.'

스님은 그릇을 들고 벌컥벌컥 시원하게 물을 마셨어요. 그러고는 곧 잠에 빠져들었답니다.

이튿날 잠에서 깬 원효 스님은 깜짝 놀라 입을 틀어막고
구역질을 해 대기 시작했어요.
"우웩! 우웨엑!"
그 소리에 의상 스님이 잠에서 깨어났지요.
"아니, 이 사람아. 왜 그러는가?"
"저 물! 저 더러운 물을 내가 마셨다네. 우웩!"
원효 스님이 가리키는 곳에는 흉측한 해골이 있었어요.
원효 스님은 간밤에 자다가 목이 말라 해골에 고인 빗물을 마셨던 거예요.
"아니, 어째서 해골에 담긴 물을 마셨단 말인가?"
"지난밤에 목이 말라 해골물인 줄 모르고 마셨던 걸세."
"그럼 물을 마신 것은 지난밤인데 어째서 지금 구역질을 하는 건가?
구역질을 하려면 지난밤에 했어야지."
의상 스님의 말을 들은 원효 스님은 구역질을 멈췄어요.
커다란 망치로 뒤통수를 세게 맞은 듯이 멍한 표정이었지요.
'그래, 모르고 마셨을 땐 물맛이 그렇게 시원하고 달더니
해골에 고인 썩은 빗물임을 알게 되니까
뱃속이 뒤집히도록 구역질이 나오다니 이상하지 않은가!'
원효 스님은 이런 생각이 들었어요.

'분명 해골물은 그대로인데 어째서 어제는 그토록 달콤했다가
오늘은 구역질이 날 만큼 더럽게 여겨지는 걸까? 달라진 것이 무엇일까?'
해골물이 달라진 것은 아니었어요. 다만 어제는 해골물인 줄 모르고 있다가
오늘은 알게 되었다는 차이일 뿐이었지요.
원효 스님은 문득 깨달았어요.
'그렇다! 이 세상 모든 이치가 오로지 마음에 달렸구나!
마음을 어떻게 먹는가에 따라 세상이 달라지는 거야.
그렇다면 굳이 먼 당나라까지 가서 불법을 공부할 필요가 있겠는가?'

의상 스님이 일어서며 말했어요.

"하하하. 원효, 정신을 어디 두고 있는가? 날이 밝았으니 다시 길을 떠나세."

"의상, 나는 당나라에 가지 않으려네."

"아니, 왜 그러는가?"

"불법을 공부하러 굳이 당나라까지 갈 필요가 없네. 나는 도가 내 마음속에 있다는 것을 깨달았네."

원효 스님은 그때부터 사람들이 보기에 이상한 행동을 했어요.
"아니, 저런 형편없는 중놈이 있나?
저길 좀 보게. 머리를 깎은 중놈이 떡하니 술을 마시지 않나?"
"술뿐인가? 잘 보게나. 안주로 먹는 게 고기 아닌가!"
"어럽쇼? 한 손엔 술병을 들고,
다른 손으로 주모 손을 잡고 장난을 치고 있네 그려!"
"도대체 저 중놈이 누군가?"
"원효라고 하는군."
"아니, 원효라면 덕이 높기로 유명한 스님이신데
어쩌다 저 지경이 되었지?"
사람들은 원효 스님의 변한 모습을 보고 혀를 찼어요.
스님에게는 지켜야 할 것들이 있었는데 고기나 술을
먹어서는 안 되고, 또 여자와 어울리면 안 된다는 것들이었어요.
그러나 원효 스님은 이런 것들을 비웃기라도 하듯
일부러 이상한 행동을 했던 것이지요.

사람들은 원효 스님을 미치광이라며 손가락질했어요.
"저런 주정뱅이가 스님이라니! 부끄러운 줄도 모르나 봐."
때때로 어떤 사람들은 원효 스님에게 점잖게 충고했어요.
"부처님의 제자가 이렇게 술을 마시고 춤을 추며 함부로 행동해서야 되겠소?"
그럴 때면 원효 스님은 웃으며 이렇게 말했어요.
"난 술을 마실 때도 부처님께 기도를 하지요. 그런데 많은 사람들은
부처님께 기도를 하는 순간에도 돈 생각, 자식 생각 등으로
마음을 어지럽힌답니다. 그러니 술을 먹고 안 먹고는
중요한 문제가 아닙니다. 중요한 것은 마음이지요. 하하하."
그러다가도 마음이 내키면 여러 사람을 모아 놓고
부처님의 가르침을 전하기도 했어요.
"몸은 계율*을 지키면서 마음으로는 추악한 생각을 하는 것이 더 나쁜 것입니다.
몸이 계율을 어겨도 마음이 순수하면 그 사람이 진정한 부처님의 제자입니다."
원효 스님은 늘 이렇게 말했어요.

*계율 : 불교를 믿는 사람으로서 지켜야 할 규범

이 무렵, 왕비가 큰 병에 걸렸어요.

유명한 의사들도 고치지 못하고 별별 약을 다 써도 소용이 없었어요.

생각다 못 한 진평왕은 당나라에 사신*을 보내 약을 구해 오게 했어요.

사신이 배를 타고 당나라에 도착했을 때 흰 수염을 길게 늘어뜨린 노인을 만났어요.

노인이 물었어요.

"어디서 온 사람인고?"

"신라의 사신으로 왕비님의 약을 구하러 왔습니다."

"잘 왔소. 왕비는 곧 나을 것이오."

"무슨 신통한 약이 있습니까?"

"우리나라에는 아직까지 세상에 전해지지 않은 《금강삼매경》이라는 불경*이 있소.

이 책을 세상에 퍼지게 하면 왕비의 병이 깨끗이 나을 것이오."

노인은 사신의 다리를 찢고 그 속에 불경을 넣은 다음 약을 발라 주었어요.

신기하게도 사신은 아픔을 느끼지 않았지요.

"이 불경을 가지고 가서 원효 대사에게 해석해 달라고 하시오.

그래야 왕비의 병이 나을 것이오. 꼭 내가 시키는 대로 하시오."

*사신 : 나라의 명을 받아 외국에 파견되는 신하
*불경 : 부처님의 가르침을 적은 책

신라로 돌아온 사신은 진평왕에게 당나라에서의 일을 말했어요.
그러고는 《금강삼매경》을 바쳤지요.
진평왕은 매우 기뻐하며 곧 원효 스님을 찾아오라고 명했어요.
신하가 경전을 들고 원효 스님을 찾아갔더니
원효 스님은 이미 소를 타고 마중을 나와 있었어요.
신하가 불경을 올렸더니 원효 스님은 붓을 들어 글을 쓰기 시작했지요.
이렇게 소를 타고 대궐에 이를 때까지 불경을 모두 풀이하여 적었답니다.
진평왕은 황룡사에서 이 내용을 가르치게 했어요.
원효 스님이 설법*을 하던 날, 수천 명의 사람들이 황룡사에 구름같이 모여들었어요.
원효 스님의 설법을 들은 사람들은 모두 감탄했지요.
법회*가 있은 뒤 왕비의 병은 씻은 듯이 나았답니다.
이 일을 계기로 원효 스님의 이름은 세상에 널리 알려졌어요.

*설법 : 불교의 이치를 가르침
*법회 : 부처님의 가르침을 배우는 모임

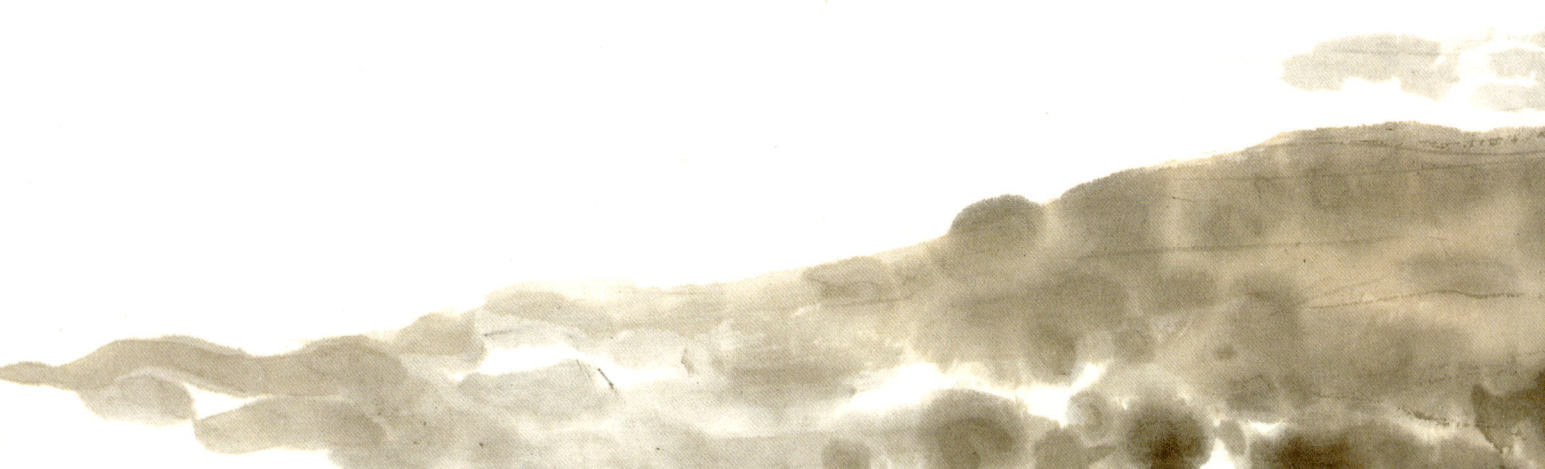

하루는 원효 스님이 점심밥을 먹다가 별안간 밖으로 나가서
입에 담겨 있던 물을 서쪽으로 뿜었어요.
"스님, 진지를 드시다가 갑자기 밖으로 나가 물을 뿜으시는 까닭이 무엇인지요?"
제자가 이상히 여기며 묻자 원효 스님이 대답했어요.
"서쪽에 있는 절에 불이 나서 그 불을 끄려고 물을 뿌렸다네."
며칠 후 서쪽에 있는 그 절에서 스님이 왔어요.
제자는 지난번 원효 스님의 말이 기억나 스님에게 이야기했어요.
서쪽 절에서 온 스님은 깜짝 놀라며 말했어요.
"며칠 전 우리 절에 불이 났었습니다. 불길이 잘 잡히지 않아 애를 먹고 있는데
별안간 멀쩡하던 하늘에 먹구름이 끼더니 소나기가 쏟아져 불이 꺼졌지요."
"그게 언제쯤이었나요?"
"점심밥을 먹던 중이었지요. 소나기가 쏟아지는데
밥알이 섞여 있어 이상하다고 생각했답니다."
"아니, 그럼 정말로 원효 스님이 불을 끈 것인가!"

또 이런 일도 있었답니다.

당나라에 있는 큰 절에서 스님들이 모여 공부를 하고 있었어요.

그런데 하늘에서 커다란 나무 접시 하나가 나타나 빙글빙글 돌기 시작했어요.

열린 법당문으로 나무 접시를 본 스님들은 놀랍고 신기해서 마당으로 달려나왔지요.

그 순간 법당 안의 대들보가 와지끈 부러지며 지붕이 폭삭 주저앉았어요.

스님들은 깜짝 놀랐지요.

"우리가 이 접시를 보러 나오지 않고 계속 법당 안에 있었다면 모두 깔려 죽을 뻔 했소."

"그러게 말입니다. 저 접시가 우리를 구했습니다."

"접시에 무슨 글이 새겨져 있는 것 같은데요."

스님들은 나무 접시에 쓰여진 문장을 읽어 보았어요.

'신라의 원효가 이 나무 접시를 던져 수많은 생명을 구하노라.'

이 일을 믿을 수 없었던 당나라 스님 몇 명이 신라로 원효 스님을 찾아왔어요.

그리고 법당이 무너지던 바로 그날,

원효가 나무 접시를 당나라 쪽으로 던졌다는 사실을 알게 되었지요.

"원효 스님은 정말 위대한 분이시구나."

당나라 스님들은 몹시 감격하며 원효 스님의 제자가 되기를 청했어요.

원효 스님은 그 후로도 줄곧 부처님의 가르침을 펼쳐 우리나라 불교의 큰 별이 되었답니다.

불교계의 큰 별

원효 대사

불교는 크게 소승불교와 대승불교로 나눌 수 있습니다. 소승불교는 자신의 마음을 닦아 부처가 되는 것을 목표로 삼습니다. 그래서 사람들에게 불법을 전하는 것보다는 속세와의 인연을 끊고 홀로 수도 생활을 하는 데에 더 큰 비중을 둡니다. 하지만 대승불교는 자신의 수양도 물론 중요하지만 이웃이나 자신이 속한 사회를 돕는 것을 중요하게 생각합니다.

우리나라 불교는 대승불교의 성격이 강합니다. 우리나라에 대승불교를 전하고 빛낸 분은 바로 원효 대사와 의상 대사입니다. 두 스님은 불교의 가르침을 함께 공부한 '도반'이었지요. 하지만 둘의 출신이나 생각은 조금 달랐어요. 의상 대사는 귀족 출신이었지만 원효 대사는 평민 출신이었습니다. 또, 의상 대사가 불경을 읽으면서 부처님의 가르침을 익히는 것을 중요하게 생각한 반면에 원효 대사는 정신을 집중하여 마음을 닦으면 부처가 될 수 있다고 했지요. 당시에는 귀족의 지원을 많이 받은 의상 대사가 더 인정을 받았다고 합니다. 그러나 오늘날은 원효 대사도 불교계에서 중요한 인물로 인정받고 있지요. 천 년이 넘는 시간이 흘렀지만 원효 대사의 가르침은 오늘을 살아가는 우리에게 많은 가르침을 주고 있습니다.

「원효 대사는 진리가 마음속에 있음을 깨닫고 평생 동안 불교의 가르침을 전한 분이에요」

기원전 57년
신라 정복

512년
우산국 정복

532년
금관가야 정복

648년
원효
황룡사에서 스님이 됨

654년
태종무열왕
신라 제29대 왕 즉위

660년
백제 정복

661년
원효
당나라로 가던 중 해골에 괸 물을 먹고 깨달음을 얻음

원효 대사와 관련 있는 ## 인물들

진평왕 : 신라 제26대 왕

진흥왕의 손자로 왕위에 있었던 기간은 579~632년입니다.
나라의 살림을 충실하게 다졌으며
원광 스님, 담육 스님과 같은 훌륭한 승려를 중국에 보내
불교를 받아들이는 데에도 힘썼습니다.

의상 대사

644년 황복사에 들어가 스님이 되었습니다.
원효 스님과 함께 당나라로 유학을 떠나던 중 원효 스님은 신라로 돌아가고
의상 스님 혼자 당나라에 가서 불교를 공부하였습니다.
우리나라에 화엄종을 전한 스님입니다.

알고 싶은 ## 요모조모

원효 대사가 태어난 밤나무

원효 대사가 태어난 밤나무에 관한 재미있는 일화가 있습니다. 원효 대사는 밤나무 아래에서 태어났는데 신라 사람들은 이 밤나무를 '사라수'라고 부르고 나중에 이곳에 절을 지어 '사라사'라고 불렀습니다. 시간이 흘러 이 절에서 일하던 사람이 절에서 주는 한 끼 식사인 밤 두 알이 너무 적다며 관가에 고발했습니다. 관가에서 조사를 나와 보니 밤 한 알의 크기가 큰 사발에 가득 찰 만큼 컸지요. 그래서 조사를 나왔던 관리는 한 끼 식사로 밤 두 알은 너무 많으니 한 알로 줄이라고 했답니다. 원효 대사가 태어난 밤나무의 밤 한 알이 큰 사발에 가득 찰 정도로 컸다는 것은 그만큼 원효 대사가 큰 인물이 될 것이라는 암시였을 거예요.

668년
고구려 정복

676년
삼국 통일
통일 신라 시대 시작

751년
불국사 창건

828년
청해진 설치

888년
향가집 《삼대목》 편찬

935년
신라 멸망

궁금증을 풀어 주는 미로여행

Q1 원효 대사가 길에서 만난 **관세음보살**은 누구인가요?

Q2 원효 대사는 스님으로서 지켜야 하는 **계율**을 왜 어겼을까요?

Q3 《금강삼매경》은 무엇인가요?

Q4 원효 스님이 해석한 《금강삼매경》을 지금도 볼 수 있나요?

원효 대사는 당시 신라의 불교가 **왕**과 **귀족**을 중심으로 발전하는 것이 못마땅했어요. 그래서 일부러 평범한 사람처럼 행동하면서 부처님의 가르침을 알렸지요. 원효 대사가 지어 부른 노래 중에 '무애가'가 있는데, 이는 불교 경전의 하나인 《화엄경》의 내용을 쉽게 풀이한 것이지요.

원효 스님이 해설한 《금강삼매경》을 《금강삼매경론》이라 불러요. 지금은 합천 **해인사**에 있는 나무 목판에 그 내용이 남아 있어요. 지금도 불교 경전을 연구하는 학자들이 내용을 연구하고 있지요.

《금강삼매경》은 중국 남북조 시대부터 당나라 초기까지 **중국의 불교 교리**를 다루고 있는 책이에요. 담고 있는 내용이 많고 어려워서 스님들조차 그 뜻을 이해하기가 어려웠지요. 불교 공부를 많이 한 원효 스님이 책을 쉽게 풀이했어요.

불교에는 여러 사람을 이롭게 하는 보살이 있는데 관세음보살은 여자 보살로 자애로운 모습을 하고 있어요. 관세음보살은 사람들의 아픈 마음을 **위로**하는 따뜻한 보살이라고 해요.